El Capitán Calzoncillos y el ataque de los retretes parlantes

Dav Pilkey

sm

Primera edición: octubre 2000
Decimosexta edición: septiembre 2008

Dirección editorial: Elsa Aguiar
Traducción del inglés: Miguel Azaola
Ilustraciones: Dav Pilkey

Título original: *Captain Underpants and the Attack of the Talking Toilets*
© Dav Pilkey, 1999. Todos los derechos reservados.
   Publicado por acuerdo con Scholastic Inc.,
   555 Broadway, New York, NY 10012, USA
© Ediciones SM, 2000
   Impresores, 2
   Urbanización Prado del Espino
   28660 Boadilla del Monte (Madrid)
   www.grupo-sm.com

ATENCIÓN AL CLIENTE
Tel.: 902 12 13 23
Fax: 902 24 12 22
e-mail: clientes@grupo-sm.com

ISBN: 978-84-348-8900-2
Depósito legal: M-36.650-2008
Impreso en España / *Printed in Spain*
Gohegraf Industrias Gráficas, SL - 28977 Casarrubuelos (Madrid)

Cualquier forma de reproducción, distribución, comunicación pública o trans-
formación de esta obra solo puede ser realizada con la autorización de sus titula-
res, salvo excepción prevista por la ley. Diríjase a CEDRO (Centro Español de
Derechos Reprográficos, www.cedro.org) si necesita fotocopiar o escanear algún
fragmento de esta obra.

Para Alan Boyko

TEBEOS
CASAENRAMA, S.A.

Capítulo 1

JORGE Y BERTO

Estos son Jorge Betanzos y Berto Henares. Jorge es el chico de la izquierda, con camisa y corbata. Berto es el de la derecha, con camiseta y un corte de pelo demencial. Recordadlos bien.

Según con quien hablarais, probablemente os dirían de Jorge y Berto cosas totalmente distintas.

La señora Pichote, su profesora, es fácil que os dijera que Jorge y Berto son *indisciplinados* y que sufren una *disfunción de la conducta*.

Su profesor de gimnasia, el señor Magrazas, quizá añadiría que necesitan con urgencia un serio *reajuste de actitudes*.

Su director, el señor Carrasquilla, seguramente incluiría más expresiones selectas, como *insumisos, criminalmente revoltosos* y "*voy a ajustarles las cuentas a esos dos aunque sea lo último que...*". Bueno, ya me entendéis.

Pero, si les preguntarais a sus padres, probablemente os dirían que Jorge y Berto son listos y amables y que tienen muy buen corazón... aunque a veces sean un poquito insensatos.

Yo estoy de acuerdo con sus padres.

Aunque reconozco que su insensatez les ha creado a veces problemas *de aúpa*. ¡De hecho una vez les creó un problema tan gordo que, sin proponérselo, estuvieron a punto de destruir todo el planeta con un ejército de diabólicos y feroces retretes parlantes!

Pero antes de contaros esa historia os tengo que contar *esta otra*...

Capítulo 2

ESTA HISTORIA

Una preciosa mañana, Jorge y Berto acaba-
ban de salir de su clase de recuperación de gimnasia de cuarto en la Escuela Primaria Jerónimo Chumillas, cuando vieron un gran cartel
junto a la entrada.

Era el anuncio de la segunda Convención
Anual de la Invención.

SEGUNDA CONVENCIÓN
ANUAL DE LA
INVENCIÓN

GRAN
PREMIO

Jorge y Berto tenían gratos recuerdos de la convención del año anterior, pero esta vez iba a ser algo distinta. El que ganase el primer premio sería "Director por un día".

—¡Hala! —dijo Jorge—. ¡El que sea director podrá dictar sus propias reglas durante todo el día y toda la escuela tendrá que cumplirlas!

—¡Este año *tenemos* que ganar el primer premio! —exclamó Berto.

En aquel momento apareció el señor Carrasquilla, el director del colegio de Jorge y Berto en persona.

—¡AJÁ! —vociferó—. ¡Apuesto a que no estáis tramando nada bueno!

—Nada de eso —dijo Jorge—. Sólo estábamos leyendo lo del concurso de este año.

—¡Eso! —dijo Berto—. ¡Vamos a ganar el primer premio del concurso y seremos directores por un día!

—¡Ja, ja, ja, ja, ja! —rió el señor Carrasquilla—. ¿De verdad creéis que voy a permitir que participéis en el concurso de este año después de la faena que hicisteis en la Convención de la Invención del año pasado?

Jorge y Berto sonrieron al recordar la primera Convención Anual de la Invención...

CAPÍTULO 3

VUELTA ATRÁS

Un año antes, día más, día menos, todos los alumnos de la Escuela Primaria Jerónimo Chumillas estaban reunidos en el gimnasio para asistir a lo que luego fue más conocido como "El incidente de las sillas pegajosas", cuando a Jorge y Berto les tocó hacer uso del micrófono.

—Señoras y señores —dijo Jorge—, ¡Berto y yo hemos inventado algo que, se lo garantizo, va a dejarlos a todos ustedes *pegados a sus asientos*!

—Exacto —dijo Berto—. Lo llamamos *cola*.

El señor Carrasquilla se enfureció.

—¡La cola no es nada que hayáis inventado vosotros! —gritó, y se levantó para quitarles el micrófono a Jorge y Berto. Su silla se levantó con él. El gimnasio entero se echó a reír.

La señorita Antipárrez, secretaria del colegio, se levantó para ayudar a despegarle la silla de los pantalones al señor Carrasquilla. Su silla también se levantó con ella. El gimnasio entero se rió con más fuerza.

Los otros profesores se levantaron y —lo habéis adivinado— también estaban pegados a sus sillas. Todo el público se desternillaba de risa.

Un niño se levantó para ir al cuarto de baño y su silla se levantó con él también. El publicó empezó a reír con menos fuerza. Los espectadores probaron sus sillas y bruscamente la risa cesó por completo. Todos y cada uno estaban pegados a sus asientos.

En realidad, aunque no era cierto que Jorge y Berto hubiesen inventado la cola, sí que habían inventado una nueva clase de cola. Con una sencilla mezcla de goma arábiga y zumo concentrado de naranja habían obtenido una cola de secado rápido que se activaba con el calor corporal. Y a primera hora de la mañana habían aplicado su cola especial a todos y cada uno de los asientos (menos a los suyos).

Ahora todos en el gimnasio hervían de ira y miraban ferozmente a Jorge y Berto.

—Tengo una buena idea —dijo Jorge.

—¿Cuál? —preguntó Berto.

—¡¡¡CORRER!!! —chilló Jorge.

Jorge y Berto sonreían de oreja a oreja al recordar su insensato invento y el caos que había provocado.

—¡Qué genial fue aquello! —se carcajeó Berto.

—¡Síííí! —rió sofocadamente Jorge—. ¡Va a ser muy difícil superarlo este año!

—Me temo que este año no vais a tener esa oportunidad —dijo el señor Carrasquilla, sacando una lupa y poniéndola ante la letra pequeña del cartel.

"El concurso está abierto a todos los alumnos de tercero y cuarto EXCEPTO para Jorge Betanzos y Berto Henares..."

SEGUNDA CONVENCIÓN

ANUAL DE INVENC

GRAN PREMI

EL TER EX

—¿Quiere decir que no podremos participar en el concurso? —preguntó Berto.

—Peor aún —se rió el señor Carrasquilla—. Este año, muchachos, ni siquiera podréis asistir a la convención. ¡Os voy a tener el día entero haciendo horas de repaso extra en la sala de estudio! —y el señor Carrasquilla dio media vuelta y se marchó riendo triunfalmente.

—¡Ahí va! —dijo Berto—. ¿Y qué vamos a hacer ahora?

—Tranquilo —dijo Jorge—, ya sabes el viejo dicho: ¡si no puedes unirte a ellos, *derrótalos*!

Capítulo 4

EL INVENTO

MANZA-NAELÉC-

ZAPATO AUTO-MÁTICO

CHATI 200C

Nada más caer la tarde de aquel día Jorge y Berto volvieron con su material a la escuela y se colaron subrepticiamente en ella. Se deslizaron hasta el gimnasio y echaron una mirada al interior.

—Creo que todavía hay alguien ahí dentro —susurró Berto.

—Sí, pero sólo es Gustavo Lumbreras —dijo Jorge.

Gustavo era el cerebrito de la escuela. Estaba ocupadísimo dando los toques de última hora a su nuevo invento para el concurso.

—Deberíamos esperar aquí hasta que termine —susurró Berto.

—De eso nada —dijo Jorge—. ¡Podría pasarse aquí toda la noche! Será mejor acercarse y hablar con él.

Cuando Gustavo vio acercarse a Jorge y Berto se preocupó.

—¡Vaya por Dios! —dijo—. Apuesto a que habéis venido a enredar en los inventos de los demás.

—Bien sospechado —dijo Jorge—. Escucha, te prometemos no enredar en tu invento si nos prometes no decir a *nadie* que nos has visto aquí esta noche.

Gustavo miró con devoción a su invento y accedió de mala gana.

—Vale, lo prometo —dijo.

MANZA
ELÉCTR

ATO
TO-
ICO

—Estupendo —dijo Jorge—. Por cierto, ¿en qué consiste este invento tuyo? Parece una fotocopiadora.

—Bueno, era una fotocopiadora —dijo Gustavo—, pero le he hecho algunas modificaciones importantes. Ahora es un invento que va a revolucionar el mundo. Lo he llamado CHATI 2000.

¿Va a revolucionar el mundo y lo llamas CHATI? —preguntó Berto.

—Sí —dijo Gustavo—. CHATI son las iniciales de Cibercopiadora Hipo-Atomizarandeante Transglobulímica Infravioletomacroplastosa.

—Si lo sé, no pregunto —dijo Berto.

—Permitidme que os haga una demostración —dijo Gustavo—. La CHATI 2000 puede captar cualquier imagen unidimensional y producir una réplica tridimensional de esa imagen vivita y coleando. Por ejemplo, mirad esta foto corriente de un ratón.

Gustavo colocó la foto del ratón sobre la pantalla de cristal de la CHATI 2000 y apretó el botón de arranque.

Las luces del gimnasio se atenuaron mientras la CHATI 2000 pareció absorber de pronto toda la energía eléctrica de la escuela. Enseguida la máquina se puso a vibrar y a zumbar con fuerza y empezaron a saltar por debajo pequeñas chispas de electricidad estática.

—Espero que este chisme no explote —comentó Berto.

—¡Bah, esto no es *nada*! —dijo Gustavo—. ¡Tendríais que haber visto cómo reaccionó la CHATI 2000 cuando copié un *caniche*!

Por fin, después de una serie de destellos y de sonidos estrepitosos, la máquina se detuvo. Se oyó un pequeño *ding* y un ratoncillo se asomó por la escotilla lateral de la CHATI 2000 y saltó al suelo.

—¿No es maravilloso? —exclamó Gustavo.

Jorge observó detenidamente al ratón.

—Es un truco estupendo —dijo riendo—. Por un momento me lo he tragado de veras.

—¡No es *ningún* truco! —chilló Gustavo—. ¡La CHATI 2000 convierte fotos en seres vivos *auténticos*! ¡Incluso he creado seres vivos a partir de *cuadros y dibujos*!

—¡Venga ya! —se rió Berto—. ¡Y yo que creía que los artistas de pega éramos *nosotros*...!

Jorge y Berto se marcharon riéndose entre dientes. Era hora de ponerse a hacer algo de más fundamento.

CAPÍTULO 5

ALGO DE MÁS FUNDAMENTO

Jorge y Berto se dirigieron al otro lado del gimnasio, abrieron sus mochilas y empezaron a trabajar.

Jorge se ocupó de cambiar de dirección todos los aspersores del lavaperros automático mientras Berto llenaba de tinta china el depósito de jabón.

LAVAPERROS AUTOMÁTICO

TINTA

PING — PONG SACA-MATIC

SEGUNDA CONVENCIÓN DE LA INVENCIÓN

APERRO OMÁTIC

ING - PONG SACA-MATIC

DETECTOR DE VOLCANES

Después se dirigieron al detector de volcanes.

—¿Me pasas la bolsa grande de crema pastelera y un destornillador de estrella, por favor? —pidió Berto.

—Voy —dijo Jorge mientras, con mucho cuidado, metía unos huevos en el Ping-Pong Saca-Matic.

Capítulo 6

La convención
de la invención

El día siguiente amaneció radiante y soleado. Los alumnos y profesores fueron entrando en el gimnasio y examinaron sus asientos con mucho cuidado antes de sentarse.

—Bienvenidos —dijo el señor Carrasquilla de pie junto al micrófono—. Hoy no tenéis que preocuparos por ningún asiento pegajoso —prosiguió—. He tomado medidas para asegurarme de que esta Convención de la Invención no sea un desastre como la del año pasado.

Todos se acomodaron en sus sillas mientras Feliciana Socarrat, una niña de tercero, subió al estrado para hacer la demostración de su lavaperros automático.

—Primero —dijo Feliciana—, se pone al perro en el barreño. Y luego se aprieta este botón.

Feliciana apretó el botón de arranque. Al principio no pasó nada. Pero de repente brotaron con fuerza numerosos chorros de tinta ne-

gra que rociaron a los espectadores. Todos (menos el perro) quedaron empapados mientras Feliciana intentaba desesperadamente cerrar los aspersores.

—¡No puedo pararlo! —gritó—. ¡Alguien ha cambiado la dirección de los aspersores!

—¿Quién puede haber sido? —se preguntó el señor Carrasquilla.

El siguiente en subir fue Dioni Cuadrillero, con su Ping-Pong Saca-Matic. Puso en marcha la máquina y ésta empezó inmediatamente a lanzar huevos de tamaño extra, clase A, sobre los espectadores.

"¡Flopp!-¡Flopp!-¡Flopp!-¡Flopp!-¡Flopp!", hacía la máquina.

"¡Plaff!-¡Plaff!-¡Plaff!-¡Plaff!-¡Plaff!", hacían los huevos.

—¡No puedo parar la máquina! —gritó Dioni—. ¡Alguien ha atascado el botón de control con un alambre!

—¿Quién puede haber sido? —se preguntó el señor Carrasquilla.

El detector de volcanes de Boliche Gangoso fue otro gran fracaso. Cuando Boliche conectó los circuitos a la pila de nueve voltios, un gran muelle (que alguien había encajado en el interior de su volcán en miniatura) lanzó al aire una bolsa de plástico gigante llena de crema pastelera.

La bolsa aterrizó en algún punto entre la tercera y la cuarta fila. ¡Chaafff!

—¡Eeeh! —aulló Boliche— ¡Alguien ha puesto crema en mi volcán!

—¿Quién puede haber sido? —se preguntó el señor Carrasquilla.

El resto del día transcurrió más o menos igual, con gente que gritaba cosas como: "¡Eh! ¿Quién ha puesto copos de avena en mi secador de pelo de energía solar?" o "¡Eh! ¿Quién ha soltado los ratones que había en las ruedas de mi triciclo de tracción animal?".

No pasó mucho rato antes de que todo el mundo se marchara del gimnasio y la segunda Convención Anual de la Invención tuviera que ser suspendida.

—¿Cómo ha podido ocurrir algo así? —vociferaba el señor Carrasquilla mientras se limpiaba la cara y la camisa de chocolate derretido, virutas de sacapuntas y sopa de champiñones—. ¡Jorge y Berto han estado todo el día en la sala de estudio! ¡Los he llevado allí yo mismo!

—Ejem, disculpe, señor Carrasquilla —dijo Gustavo Lumbreras—. Creo que tengo respuesta a su pregunta.

Capítulo 7

¡CAZADOS!

"¡**C**RASH!", hizo la puerta de la sala de estudio. El señor Carrasquilla, que le había dado una patada, entró enloquecido en la habitación. Jorge y Berto no le habían visto tan furibundo jamás.

—¡OS HABÉIS CAÍDO CON TODO EL EQUIPO, muchachos! —gritó—. ¡Os voy a tener a los dos en RETENCIÓN PERMANENTE DURANTE TODO EL AÑO ESCOLAR!

—¡Un momento! —exclamó Jorge—. ¡No tiene usted ninguna prueba!

—Eso es —dijo Berto—. ¡Hemos estado aquí todo el día!

El señor Carrasquilla sonrió diabólicamente y miró hacia la puerta.

—¡Pasa, Gustavo! —dijo.

Gustavo Lumbreras entró en la habitación cubierto de mostaza, cáscaras de huevo y ralladuras de coco.

—Han sido ellos —dijo Gustavo apuntando con el dedo a Jorge y Berto—. ¡Les vi anoche en el gimnasio!

—¡Gustavo! —exclamó Jorge, horrorizado—. ¡Nos lo prometiste!

—He cambiado de idea —dijo Gustavo sonriendo con suficiencia—. ¡Que lo paséis bien con la retención permanente!

Capítulo 8

LA RETENCIÓN POR LA CONVENCIÓN DE LA INVENCIÓN

Después de clase, el señor Carrasquilla condujo a Jorge y Berto a un aula y escribió una frase muy larga en una de las pizarras.

—A partir de hoy —rugió—, cuando acaben las clases estaréis dos horas diarias copiando estas líneas sin descansar. ¡Quiero que llenéis completamente todas las pizarras de esta habitación!

De camino hacia la puerta, el señor Carrasquilla se volvió y dijo con una sonrisa maligna:

—¡Y si uno de vosotros sale de aquí por cualquier motivo, os expulsaré a los dos!

Como ya habréis supuesto, este tipo de castigo no era cosa nueva para Jorge y Berto. Los dos chicos esperaron a que el señor Carrasquilla saliera y luego cada uno sacó de su mochila cuatro varillas de madera encajables. En las varillas los chicos habían taladrado unos agujeros con las herramientas de la tienda de bricolaje del padre de Jorge.

Jorge encajó las varillas unas en otras mientras Berto colocaba un trozo de tiza en cada agujero.

Luego, cada uno agarró una de las varas largas y empezó a copiar las líneas del señor Carrasquilla. ¡Cada vez que escribían una línea, las varas largas hacían doce!

Al cabo de tres minutos y medio todas las pizarras de la habitación estaban completamente llenas.

43

Jorge y Berto se sentaron y admiraron su obra.

—Ahora nos queda un montón de tiempo libre —dijo Jorge—. ¿Se te ocurre alguna idea?

—¿Por qué no hacemos un tebeo nuevo? —propuso Berto.

Y así fue como los dos chicos, tras sacar papel y bolis, crearon una nueva aventura de su superhéroe favorito. La titularon: "El Capitán Calzoncillos y el ataque de los retretes parlantes".

CAPÍTULO 9

EL CAPITÁN CALZONCILLOS Y EL ATAQUE DE LOS RETRETES PARLANTES

Por Jorge Betanzos

Y

Berto Henares

TEBEOS
CASAENRAMA, S.A.

CAPÍTULO 10

UN GRAN ERROR

Jorge y Berto estaban sentados uno junto al otro en el aula de retención, leyendo su último tebeo y radiantes de satisfacción.

—Tenemos que ir a secretaría y hacer copias —propuso Jorge—, para venderlas mañana en el recreo.

—No podemos —dijo Berto—. El señor Carrasquilla ha dicho que nos expulsaría si nos pescaba fuera de aquí.

—Pues no dejaremos que nos pesque —aseguró Jorge.

EL CAPITÁN CALZONCILLOS
Y EL ATAQUE DE LOS
RETRETES PARLANTES

Jorge y Berto salieron sigilosamente de la habitación y se arrastraron por el vestíbulo hasta la secretaría.

—¡Vaya! —se lamentó Berto—. Ahí dentro hay un grupo de profes. No vamos a poder usar la fotocopiadora.

—Déjame pensar... —dijo Jorge—. ¿No hay más fotocopiadoras en esta escuela?

—¿Qué te parece la que tenía Gustavo en el gimnasio? —preguntó Berto.

—¡Pues claro!

Jorge y Berto se deslizaron hasta el gimnasio: allí estaba la CHATI 2000.

—Me pregunto si esta máquina todavía hará fotocopias... Gustavo habló de que le había hecho algunas modificaciones —comentó Berto.

—Bah, seguro que le metió un ratón dentro para tomarnos el pelo —dijo Jorge—. Es un truco más viejo que el de Maricastaña. Estoy convencido de que la máquina sigue haciendo fotocopias normales.

Jorge colocó la portada del nuevo tebeo boca abajo sobre la pantalla y apretó el botón de arranque.

Inmediatamente se atenuaron las luces de toda la escuela y la CHATI 2000 empezó a dar unas sacudidas y unos golpazos terroríficos. Gigantescas chispas de electricidad estática saltaron desde la base de la máquina mientras un gran remolino de aire brotaba de la parte superior. Todos los papeles sueltos y objetos pequeños que había en el recinto empezaron a ser succionados por el vendaval y a arremolinarse sobre la CHATI 2000 con la furia de un ciclón.

—¡Creo que no está funcionando como es

debido! —gritó Jorge por encima de aquel ruido espantoso.

Por fin, después de una serie de destellos y de sonoros estampidos, el ruido, las chispas y el viento cesaron de golpe. El único sonido audible era el de algo que gruñía y arañaba dentro del abollado y maltrecho bastidor de la CHATI 2000.

—Suena como si algo estuviera vivo ahí dentro —opinó Berto.

Jorge se apoderó del tebeo, que aún estaba en la máquina, y gritó:

—¡Vámonos de aquí!

En aquel momento se oyó un ligero *ding* y por la escotilla lateral de la CHATI 2000 salió un retrete entero y verdadero, de tamaño natural, blanco y reluciente. Tenía unos dientes agudos y mellados y en sus ojos furibundos brillaban unas hinchadas venas rojizas.

"ÑAM, ÑAM, ¡QUÉ MERENDOLA!", gritó el diabólico retrete.

Casi inmediatamente salió otro retrete parlante, seguido por otro, y otro, y otro. Todos ellos gritaban: "ÑAM, ÑAM, ¡QUÉ MERENDOLA!".

—¡Ay, MADRE! ¡¡¡Gustavo NO mentía!!! ¡La Cibercopiadora Hipo-Atomizarandeante Transglobulímica Infravioletomacroplastosa produce DE VERDAD réplicas tridimensionales vivitas y coleando a partir de imágenes unidimensionales! —gritó Berto sin que se le trabara la lengua.

—Tengo una idea —dijo Jorge.

—¿Cuál —preguntó Berto.

—¡CORRER! —chilló Jorge.

Capítulo 11

LA EXPULSIÓN TRAS LA RETENCIÓN POR LA CONVENCIÓN DE LA INVENCIÓN

Jorge y Berto salieron disparados del gimnasio dando alaridos y cerraron la puerta tras ellos a cal y canto.

—¡¡¡AJÁ!!! —aulló el señor Carrasquilla, que venía por el vestíbulo— ¡Os habéis escapado del aula de retención! ¿Sabéis lo que eso quiere decir, verdad?

—*¡No ha sido culpa nuestra!* —exclamó Berto.

—¡Los dos estáis oficialmente EXPULSA DOS! —chilló el señor Carrasquilla.

—¡Espere! —gritó Jorge— ¡Tiene usted que

escucharnos! Detrás de esta puerta hay un terrible ejército de retre...

—Muchachos, no tengo por qué volver a escucharos en toda mi vida —se rió el señor Carrasquilla—. ¡Así que ya estáis recogiendo vuestros bártulos y largándoos de esta escuela!

—Pe... pero... —tartamudeó Berto—, trate de compren...

—¡¡¡LARGO DE AQUI!!! —vociferó el señor Carrasquilla.

Jorge y Berto se dirigieron rezongando hacia sus taquillas para recoger sus cosas.

—¡Pues vaya...! —dijo Berto—. En un solo día hemos conseguido una retención y una expulsión, y además hemos creado un ejército de retretes parlantes asesinos que quieren apoderarse del mundo. Ojalá que las cosas no se pongan todavía peor.

CAPÍTULO 12

LAS COSAS SE PONEN PEOR

La noticia de que Jorge y Berto habían sido expulsados se extendió velozmente hasta secretaría. Los profesores se precipitaron fuera dando gritos de entusiasmo y burlándose de los dos chicos.

—Así que por fin os habéis metido en un buen lío... —dijo la señorita Antipárrez con risita de conejo—. ¡Estoy deseando llamar a vuestros padres para darles la noticia!

—¡Demos una fiesta en el gimnasio! —exclamó el señor Magrazas.

—¡NOOO! —gritó Jorge—. ¡Pase lo que pase, que NO abra nadie la puerta del gimnasio!

—Haremos lo que nos dé la gana —gruñó el señor Magrazas abalanzándose sobre la puerta del gimnasio—. ¿Veis como abro la puerta?

—y abrió la puerta del gimnasio de par en par—. ¿Veis ahora como la cierro? —siguió.

—Y la vuelvo a abrir. Y la vuelvo a... ¡AA-AAAAHHHHHH blblblblb glup!

Un retrete asesino había introducido sus fauces por la puerta entornada... Se lanzó sobre el señor Magrazas y se lo tragó entero de un bocado. ¡Flossssh!, sonó el desagüe.

Los retretes parlantes franquearon las puertas abiertas del gimnasio e invadieron el vestíbulo.

"ÑAM, ÑAM, ¡QUÉ MERENDOLA!", bra-

maban a coro. "ÑAM, ÑAM, ¡QUÉ MEREN-
DOLA!"

Los profesores no podían creer lo que estaban viendo. Dando chillidos, salieron corriendo para salvar el pellejo. Sólo el señor Carrasquilla, la señora Pichote, Jorge y Berto se quedaron donde estaban, paralizados por el terror.
De pronto, la señora Pichote, señalando a los
retretes, chascó los dedos:

¡CHASC!

—¡Fuera de aquí! —aulló—. ¡Fuera de aquí
ahora mismo!

Pero los retretes no le hicieron caso. Se acer-
caron más y más.

Por fin, la señora Pichote se dio la vuelta y corrió. En cambio, el señor Carrasquilla seguía allí como pasmado. Jorge y Berto le miraron.

—Ay, madre —dijo Berto—. La señora Pichote ha *chascado los dedos*, ¿verdad?

—Pues sí —confirmó Jorge—. ¡Y ahora es cuando se va a armar la gorda!

Jorge tenía razón. Porque para entonces el señor Carrasquilla ya había empezado a transformarse. Se le dibujó una estúpida sonrisa heroica en la cara y se plantó desafiante frente al enemigo.

—¡Yo os detendré, miserables canallas! —dijo con intrepidez—. ¡¡¡Pero antes necesito *munición*!!!

El señor Carrasquilla se volvió y salió a escape hacia su despacho. Jorge y Berto corrieron tras él.

—¿Por qué ha tenido que chascar los dedos la señora Pichote? —gritó Berto—. ¿Por qué?

—¡No te preocupes ya por eso! —respondió Jorge—. ¡El señor Carrasquilla está transformándose en el Capitán Calzoncillos! ¡Tenemos que echarle agua por la cabeza antes de que sea demasiado tarde!

CAPÍTULO 13

¡DEMASIADO TARDE!

Cuando Jorge y Berto llegaron al despacho del director, sólo encontraron su ropa, sus zapatos y su peluquín tirados por el suelo.

—Mira —dijo Berto—. La ventana está abierta y falta una de las cortinas rojas.

¿Y qué hacemos ahora? —preguntó Jorge—. ¿Salvamos al Capitán Calzoncillos o nos quedamos aquí para que nos devore una jauría de retretes?

—Mmmm... ¡deja que lo piense! —dijo Berto mientras se encaramaba a la ventana.

Jorge recogió rápidamente las cosas del señor Carrasquilla y las metió en su mochila. Luego, saltó por la ventana también. Los dos chicos se deslizaron por el asta de la bandera y salieron corriendo tras el Capitán Calzoncillos.

—¿Adónde creerá que va? —se preguntó Jorge.

—No tengo la menor idea —dijo Berto—. ¡Pero será mejor que corramos a tope porque creo que nos *están siguiendo*!

El Capitán Calzoncillos pasó como un rayo por los patios traseros de unas cuantas casas vecinas y se apoderó de todos los calzoncillos que había en los tendederos.

—Mamá —dijo un niño pequeño que miraba por la ventana—, un hombre con una capa roja acaba de robar nuestra ropa interior del tendedero.

—Y ahora un retrete de aspecto feroz y con dientes puntiagudos y afilados va persiguiendo a dos niños mientras grita: "Ñam, ñam, ¡qué merendola!".

—¡Qué superinteresante! —se burló su madre—. Seguro que a mí también querrá hincarme el diente, ¿no crees?

Capítulo 14

LOS RETRETES PARLANTES SE HACEN LOS AMOS

Cuando terminó su requisa de ropa interior entre los ciudadanos del barrio, el Capitán Calzoncillos regresó veloz a la Escuela Primaria Jerónimo Chumillas dispuesto a la victoria final.

La escuela estaba en pleno caos. La señora Pichote, perseguida por varios retretes antropófagos, llegó corriendo hasta la puerta.

—¡Ayúdeme! —gritó—. ¡Se han tragado a todos los profesores del edificio menos a mí!

—No se preocupe, señora. No permitiré que se la coman —dijo el Capitán Calzoncillos mientras uno de los retretes se la comía.

—¡Vaya por Dios! —se lamentó el Capitán Calzoncillos.

Ya sólo quedaban Jorge, Berto y el capitán. Estaban en el césped de la entrada, completamente rodeados de retretes hambrientos y babeantes.

"ÑAM, ÑAM, ¡QUÉ MERENDOLA!", coreaban los retretes parlantes. "ÑAM, ÑAM, ¡QUÉ MERENDOLA! ÑAM, ÑAM, ¡QUÉ MERENDOLA! ÑAM, ÑAM, ¡QUÉ MERENDOLA!"

—¡*Estamos perdidos!* —gritó Berto.

—¡Jamás hay que despreciar el poder de la ropa interior! —voceó el Capitán Calzoncillos mientras empezaba a estirar y disparar calzoncillos a las bocas expectantes de los pérfidos retretes.

Desgraciadamente, los retretes se limitaron a tragarse los calzoncillos enteros sin masticar. Parecía que aquello los volvía más hambrientos cada vez.

—Ojalá se nos ocurriera algo que les diera auténticas náuseas —dijo Jorge.

—Eso es —convino Berto—. ¡Algo tan repelente y tan asqueroso que los hiciera retorcerse de dolor y echar la primera papilla a todos ellos!

De pronto los rostros de Jorge y Berto se iluminaron.

—¡COMIDA DEL COMEDOR! —gritaron a dúo. Y, más rápidos que unos turbocalzones, nuestros tres héroes corrieron hacia la puerta del colegio.

Capítulo 15

¡EL PICADILLO CON BESAMEL CONTRAATACA!

Jorge, Berto y el Capitán Calzoncillos llegaron sanos y salvos al interior del colegio y cerraron la puerta principal tras ellos.

—Creo que todos los retretes se han quedado fuera —dijo Jorge.

—Pero no por mucho tiempo —murmuró Berto.

Corrieron a la cocina y encontraron un carrito sobre el que había una gran perola que contenía una sustancia parduzca y viscosa.

—¡Puaj! —dijo Jorge apretándose la nariz con los dedos—. ¿Qué es esa cosa?

—Creo que la comida de mañana —respondió Berto.

—¡Perfecto! —dijo Jorge—. ¡Jamás habría creído que me alegraría de ver un picadillo con besamel!

Entre los tres empujaron a través del vestíbulo el carrito con la perola llena del maloliente pringue parduzco y lo sacaron por la puerta lateral de la escuela. El Capitán Calzoncillos se sentó en el carrito y estiró un cal-

zoncillo por encima de su cabeza como si fuera un tirachinas.

Jorge puso el contenido de un cucharón de comida en el calzoncillo y tiró del elástico hacia atrás. Berto dirigió el carrito hacia los retretes parlantes.

—¡¡¡Tatata-cháááán!!! —voceó el Capitán Calzoncillos.

Los retretes parlantes se dieron la vuelta, vie-

¡CHOF!

ron a nuestros tres héroes y prorrumpieron a coro: "ÑAM, ÑAM, ¡QUÉ MERENDOLA!".

Berto atravesó el patio empujando el carrito, perseguido de cerca por los retretes.

—¡Fuego el uno! —gritó el Capitán Calzoncillos.

Jorge disparó una ración de picadillo con besamel a las fauces del primer retrete. Éste se la tragó entera.

Berto siguió empujando mientras Jorge cargaba otra cucharada en el calzoncillo y tiraba de él.

—¡Fuego el dos! —gritó el Capitán Calzoncillos.

Y, ¡zas!, la comida fue a parar a la boca babeante del segundo retrete.

El proceso se repitió una y otra vez, hasta que el último retrete se tragó por lo menos dos raciones de picadillo de carne con besamel.

—¡Estamos ya casi sin munición! —gritó el Capitán Calzoncillos.

—Y yo ya no tengo fuerzas para seguir corriendo —jadeó Berto.

—No importa... ¡Mirad! —dijo Jorge señalando los retretes.

Todos ellos se habían detenido, gimiendo y tambaleándose. Ponían los ojos en blanco y estaban adquiriendo una extraña coloración verdosa.

—¡Eh! —gritó Berto—. ¡Creo que van a echar la papilla!

Y eso fue precisamente lo que hicieron.

Jorge, Berto y el Capitán Calzoncillos vieron cómo los retretes vomitaban todo lo que habían comido durante el día. El picadillo con besamel, los calzoncillos, incluso los profesores..., todo volvió a salir sin un rasguño.

Luego, los retretes giraron sobre sí mismos en pequeños círculos y cayeron al suelo, muertos.

Jorge inspeccionó a los profesores.

—¡Están vivos! —gritó—. ¡Inconscientes pero vivos!

—Vaya —dijo Berto—. ¡Pues ha resultado fácil!

—*Demasiado fácil* —dijo Jorge.

—¿Qué quieres decir? —preguntó Berto.

Jorge sacó de su mochila el tebeo que habían hecho y se lo enseñó a Berto.

—¿Te acuerdas de que la CHATI 2000 convirtió en seres vivos a todo lo que pusimos en la portada de nuestro tebeo?

—Sí, ¿y qué? —dijo Berto.

—Bueno —contestó Jorge señalando al Retre-Turbotrón 2000 de la portada del tebeo—. ¡Pues que a éste todavía no lo hemos visto!

82

CAPÍTULO 16

EL RETRE-TURBOTRÓN 2000

Súbitamente, con un espantoso *¡CRASH!*, el Retre-Turbotrón 2000 salió por la puerta de la escuela como un huracán. La tierra temblaba bajo las poderosas zancadas de la tonelada de acero en movimiento y cerámica furibunda que se les venía encima a nuestros héroes.

¡CRASH!

—¡Trío de insensatos entrometidos! ¡Habéis destruido mi ejército de retretes parlantes... —rugió el Retre-Turbotrón 2000—, pero se os ha agotado la bazofia del comedor! ¿Qué pensáis hacer ahora para detenerme a MÍ?

—Te lo explicaré —dijo el Capitán Calzoncillos—. ¡Voy a usar mis superpoderes superelásticos!

—¡Un momento, Capitán Calzoncillos! —gritó Jorge—. ¡No puede usted luchar contra ese monstruo! ¡Le hará pedazos!

—¡Muchachos —dijo el Capitán Calzoncillos con gallardía—, mi deber es luchar por la Verdad, por la Justicia y por todo lo que es de algodón inencogible!

Y el Capitán Calzoncillos saltó sobre el Re-tre-Turbotrón 2000. La gran batalla acababa de empezar.

—Espero que no tengamos que recurrir a la máxima violencia gráfica —comentó Berto.

—Ojalá —dijo Jorge.

CAPÍTULO 17

CAPÍTULO DE LA MÁXIMA VIOLENCIA GRÁFICA 1.ª PARTE (EN FLIPORAMA®)

ADVERTENCIA

El capítulo que sigue contiene escenas de gran crudeza en las que un hombre en ropa interior lucha con un retrete gigante.

Os recomendamos que no lo intentéis en casa.

Esto es FLIP O

Hasta el día de hoy se han escrito docenas y docenas de novelas épicas que cambiaron el curso de la Historia: *Moby Dick*, *Lo que el viento se llevó* y, naturalmente, *¡El Capitán Calzoncillos y el ataque de los retretes parlantes!*

La única diferencia entre nuestra novela y esas otras de marcas sin garantía es que la nuestra es la única que se toma la molestia de ofreceros los últimos avances en la tecnología de la animación supercutre.

EL ARTE DEL FLIPORAMA

MARCA PILKEY®
DRAMA

¡ASÍ ES COMO FUNCIONA!

Paso 1
Colocar la mano *izquierda* dentro de las líneas de puntos donde dice "AQUÍ MANO IZQUIERDA". Sujetar el libro abierto *del todo*.

Paso 2
Pinzar la página de la derecha entre el pulgar y el índice derechos (dentro de las líneas que dicen "AQUÍ PULGAR DERECHO").

Paso 3
Ahora agitar *deprisa* la página de la derecha de un lado a otro hasta que parezca que la imagen está *animada*.

(¡Para un máximo rendimiento, añadir efectos sonoros personalizados!)

FLIPORAMA 1

(páginas 91 y 93)
Acordaos de agitar *sólo* la página 91.
Mientras lo hacéis, aseguraos de que
podéis ver la ilustración de la página 91
y la de la página 93.
Si lo hacéis deprisa, las dos imágenes
empezarán a parecer *una sola*
imagen *animada.*

¡No os olvidéis de añadir
vuestros propios efectos sonoros especiales!

AQUÍ MANO IZQUIERDA

SUPERPODERES SUPERELÁSTICOS CONTRA SUPERPODERES SUPERSIFÓNICOS

AQUÍ
PULGAR
DERECHO

AQUÍ
ÍNDICE
DERECHO

SUPERPODERES
SUPERELÁSTICOS
CONTRA SUPERPODERES
SUPERSIFÓNICOS

FLIPORAMA 2

(páginas 95 y 97)
Acordaos de agitar *sólo* la página 95.
Mientras lo hacéis, aseguraos de que
podéis ver la ilustración de la página 95
y la de la página 97.
Si lo hacéis deprisa, las dos imágenes
empezarán a parecer *una sola*
imagen *animada*.

¡No os olvidéis de añadir
vuestros propios efectos sonoros especiales!

AQUÍ MANO IZQUIERDA

¡¡¡HORROR!!!
¡EFECTO DEMOLEDOR
DE LOS PUÑOS
SUPERSIFÓNICOS!

AQUÍ
PULGAR
DERECHO

AQUÍ
ÍNDICE
DERECHO

¡¡¡HORROR!!!
¡EFECTO DEMOLEDOR
DE LOS PUÑOS
SUPERSIFÓNICOS!

FLIPORAMA 3

(páginas 99 y 101)
Acordaos de agitar *sólo* la página 99.
Mientras lo hacéis, aseguraos de que
podéis ver la ilustración de la página 99
y la de la página 101.
Si lo hacéis deprisa, las dos imágenes
empezarán a parecer *una sola*
imagen *animada*.

¡No os olvidéis de añadir
vuestros propios efectos sonoros especiales!

AQUÍ MANO IZQUIERDA

¡EL TAZÓN CARNÍVORO
ATRAPA AL CAPITÁN!

AQUÍ
PULGAR
DERECHO

AQUÍ
ÍNDICE
DERECHO

¡EL TAZÓN CARNÍVORO
ATRAPA AL CAPITÁN!

CAPÍTULO 18

EL BOLI MORADO DE BERTO

Todo parecía perdido. ¡El Capitán Calzoncillos, en un traspié, había caído dentro de las fauces del Retre-Turbotrón 2000, y ahora el gigantesco retrete iba derecho a por Jorge y Berto!

—¡Ja, ja, ja, ja, ja! —se carcajeó el poderoso depredador de cerámica— ¡Muchachos, en cuanto os haya devorado a los dos, me apoderaré del mundo!

—¡Jamás, si podemos evitarlo! —chilló Jorge.

Jorge y Berto corrieron a refugiarse en la escuela y echaron el cerrojo de la puerta. El Retre-Turbotrón 2000 se puso a dar puñetazos en ella y a rugir:

—¡No podréis estar ahí escondidos siempre, chicos!

Jorge y Berto fueron corriendo al gimnasio.

—Tengo un plan —dijo Jorge—. Tenemos que inventar un personaje que pueda derrotar a un roborretrete gigante.

—¿Qué tal un roborinal gigante? —sugirió Berto— ¡Podríamos llamarlo Orinator!

—¡Imposible! —dijo Jorge—. Nunca nos dejarían hacer una cosa así en un libro para niños. ¡Y estamos ya en terreno resbaladizo!

—Vale —aceptó Berto—. Entonces, ¿qué tal un robodesatascador gigante? Podría ir por allí con un desatascador enorme y...

—¡Eso es! —gritó Jorge.

Así que Berto sacó su boli de color morado y se puso a dibujar.

—Ponle láser en los ojos —dijo Jorge.

—Vale.

—Y ponle cohetes de propulsión turboatómica —pidió Jorge.

Ya está   dijo Berto.

—Y haz que obedezca todas nuestras órdenes —añadió Jorge.

Berto terminó su dibujo y Jorge lo examinó detenidamente.

—Podría funcionar —murmuró.

—Pues sí —dijo Berto—. Si es que la CHATI 2000 aguanta.

Los dos chicos se volvieron a mirarla. La abollada, baqueteada y descuajeringada máquina yacía en un rincón, caída sobre un costado. Jorge y Berto pusieron a la CHATI 2000 sobre sus patas y le limpiaron el polvo.

—CHATI, bonita, sé buena chica —dijo Jorge—. ¡Ahora te necesitamos de verdad!

—Eso es —dijo Berto—. ¡El futuro del planeta entero está en nuestras manos!

CAPÍTULO 19

EL INCREÍBLE ROBODESATASCOP

Jorge se apoderó del dibujo de Berto, lo colocó sobre la pantalla de la CHATI 2000 y apretó el botón de arranque.

Todas las luces se atenuaron cuando la fatigada máquina empezó a dar sacudidas y a echar humo. Centellearon chispas, retumbaron estampidos y todo el gimnasio se tambaleó con las ondas de energía Hipo-Atomizarandeante Transglobulímica Infravioletomacroplastosa de la Cibercopiadora.

—¡Ánimo, CHATI! —gritó Jorge.

Por fin se oyó un ligero *ding* y la CHATI 2000 expulsó de su interior un enorme cachivache metálico que se puso en pie y se plantó ante Jorge y Berto con aire intrépido. Era el increíble Robodesatascop.

—¡Hurra! —exclamó Jorge— ¡Ha funcionado!

—¡Aún tienes cuerda para rato, CHATI! —la animó Berto— ¡Y ahora vamos ahí fuera a practicar un poco el juego del patadón con sifón al Retre-Turbotrón!

CapíTULO 20

CAPÍTULO DE LA MÁXIMA VIOLENCIA GRÁFICA 2.ª PARTE (EN FLIPORAMA®)

ADVERTENCIA

El capítulo que sigue contiene escenas violentas de gran realismo en las que un retrete gigante recibe patadones en su reluciente taza.

La secuencia de violencia retretil se ha realizado bajo la plena supervisión de APRETIN (Asociación Protectora de Retretes Indefensos).

Ningún retrete real resultó lesionado durante la realización del presente capítulo.

FLIPORAMA 4

(páginas 111 y 113)
Acordaos de agitar *sólo* la página 111.
Mientras lo hacéis, aseguraos de que
podéis ver la ilustración de la página 111
y la de la página 113.
Si lo hacéis deprisa, las dos imágenes
empezarán a parecer *una sola*
imagen *animada*.

¡No os olvidéis de añadir
vuestros propios efectos sonoros especiales!

AQUÍ MANO IZQUIERDA

¡EL INCREÍBLE ROBODESATASCOP CONTRAATACA!

AQUÍ
ÍNDICE
DERECHO

¡EL INCREÍBLE
ROBODESATASCOP
CONTRAATACA!

FLIPORAMA 5

(páginas 115 y 117)
Acordaos de agitar *sólo* la página 115.
Mientras lo hacéis, aseguraos de que
podéis ver la ilustración de la página 115
y la de la página 117.
Si lo hacéis deprisa, las dos imágenes
empezarán a parecer una *sola*
imagen *animada*.

¡No os olvidéis de añadir
vuestros propios efectos sonoros especiales!

AQUÍ MANO IZQUIERDA

¡EL INCREÍBLE
ROBODESATASCOP
PRACTICA EL PATADÓN
CON SIFÓN!

AQUÍ
PULGAR
DERECHO

AQUÍ
ÍNDICE
DERECHO

¡EL INCREÍBLE
ROBODESATASCOP
PRACTICA EL PATADÓN
CON SIFÓN!

(páginas 119 y 121)
Acordaos de agitar *sólo* la página 119.
Mientras lo hacéis, aseguraos de que
podéis ver la ilustración de la página 119
y la de la página 121.
Si lo hacéis deprisa, las dos imágenes
empezarán a parecer una *sola*
imagen *animada*.

¡No os olvidéis de añadir
vuestros propios efectos sonoros especiales!

AQUÍ MANO IZQUIERDA

¡EL RETRE-TURBOTRÓN SE LLEVA UN ROBODESATASCÓN!

AQUÍ
PULGAR
DERECHO

AQUÍ
ÍNDICE
DERECHO

¡EL RETRE-TURBOTRÓN
SE LLEVA UN
ROBODESATASCÓN!

CAPÍTULO 21

LO QUE PASÓ LUEGO

El increíble Robodesatascop había derrotado al diabólico Retre-Turbotrón 2000, pero los problemas de Jorge y Berto no habían terminado todavía. Metieron los brazos entre las melladas fauces del RT 2000 y sacaron de allí a su director.

—Pero *¿qué ha ocurrido aquí?* —exclamó el señor Carrasquilla—. ¡La escuela está destruida, los profesores están inconscientes y yo estoy en *calzoncillos*!

—¡Ay, madre! —murmuró Berto—. Al Capitán Calzoncillos le debe de haber caído agua de la cisterna en la cabeza. ¡Se ha vuelto a convertir en el señor Carrasquilla!

Jorge sacó de su mochila la ropa y el peluquín del señor Carrasquilla y se lo devolvió todo a su propietario.

—¡Estoy arruinado! —gimoteó el director mientras se vestía—. ¡Me harán responsable de este desastre! ¡Perderé mi empleo!

—Puede que no —dijo Jorge—. Nosotros podríamos arreglarlo todo y poner orden en este desbarajuste.

—Exacto —corroboró Berto—. Pero a un cierto precio.

¿A qué precio? preguntó el señor Carrasquilla.

—Pues... —dijo Jorge—, quisiéramos que cancelara usted nuestra retención y nuestra expulsión.

—¡Y también queremos ser directores por un día! —añadió Berto.

—De acuerdo —dijo el señor Carrasquilla—. Si es verdad que podéis arreglarlo todo, ¡trato hecho!

Jorge y Berto fueron a hablar con el increíble Robodesatascop.

—Vamos a ver, robot, majo —dijo Jorge—. ¡Échanos una mano y limpia todo este desaguisado!

—Eso es, y arregla también la escuela —continuó Berto—. ¡Usa el láser de los ojos para reparar las ventanas rotas y todo eso!

—Y cuando hayas terminado —dijo Jorge—, recoge los cuerpos del delito y llévatelos al planeta Urano.

—¡Y no vuelvas! —siguió Berto.

126

CAPÍTULO 22

CÓMO RESUMIR
UNA LARGA HISTORIA

El robot obedeció.

CAPÍTULO 23

DESPUÉS DE LO QUE PASÓ LUEGO

El increíble Robodesatascop se perdía ya en el espacio cuando los profesores empezaron a recuperar el conocimiento.

—Acabo de tener un sueño de lo más extraño —dijo la señora Pichote—. Unos diabólicos retretes querían apoderarse del mundo.

—Nosotros hemos soñado lo mismo —se asombraron los demás profesores.

—Bueno —dijo el señor Carrasquilla—. ¡La historia ha terminado bien después de todo!

—Aún no —recordó Jorge—. ¡Es la hora de la *recompensa*!

Capítulo 24

DIRECTORES POR UN DÍA
(O LA CANCELACIÓN DE LA EXPULSIÓN TRAS LA RETENCIÓN POR LA CONVENCIÓN DE LA INVENCIÓN)

—¡Atención, alumnos! —dijo Jorge al día siguiente por el altavoz—. Soy el director Jorge. No tendréis que asistir a ninguna clase en todo el día. No habrá exámenes ni deberes y hoy todo el mundo tendrá sólo sobresalientes.

—Exacto —dijo el director Berto—. Además tendremos un recreo continuo, con pizza gratis, patatas fritas, algodón dulce y un pinchadiscos de verdad. ¡Ya podéis salir a jugar!

129

El director Jorge y el director Berto pasearon por el patio para contemplar sus gloriosos dominios. Jorge se hizo con un trozo de pizza de chorizo picante y Berto se preparó él mismo un helado gigante de chocolate, nata y castaña bellotera en el puesto de helados y batidos *Comecuantopuedas*.

—¡Está bien esto de ser director! —dijo Jorge.

—Pues sí —dijo Berto—. ¡Ojalá pudiéramos ser directores todos los días!

Luego, Jorge y Berto hicieron una visita a los pobrecillos que habían sido castigados a escribir líneas todo el día en el aula de retención. Allí estaban todos los profesores, además del señor Carrasquilla y de Gustavo Lumbreras.

El señor Carrasquilla podía observar por la ventana la juerga del día de recreo continuo que estaba teniendo lugar en el patio.

—¿Cómo pensáis pagar vosotros solos tanto helado y tanta pizza? —preguntó.

—¡Ah, hemos vendido algunas cosas! —dijo Berto.

—¿Y *qué habéis vendido?* —preguntó el señor Carrasquilla.

—La mesa antigua de nogal y el sillón de cuero de su despacho —respondió Jorge—, y todos los muebles de la sala de profesores.

—¿QUÉ? —aulló el señor Carrasquilla.

—Bueno... Creo que será mejor que nos vayamos —propuso Berto.

Jorge y Berto salieron apresuradamente del aula de retención. La señorita Antipárrez los señaló con el dedo y chascó los dedos:

¡Chasc!

—¡Volved aquí ahora mismo! —vociferó.

—Ay, madre —dijo Jorge—. La señorita Antipárrez ha chascado los dedos, ¿verdad?

En cuestión de segundos, el señor Carrasquilla salió corriendo del aula de retención y atravesó como un rayo el vestíbulo en dirección a su despacho. En su cara se dibujaba una bobalicona sonrisa heroica *harto conocida*.

—¡Ay, madre! —exclamó Berto.
—¡Ya estamos otra vez! —dijo Jorge.

Índice

La verdad supersecreta sobre el Capitán Calzoncillos 7

1 Jorge y Berto 11

2 Esta historia 15

3 Vuelta atrás 19

4 El invento 25

5 Algo de más fundamento 31

6 La Convención de la Invención 33

7 ¡Cazados! 39

8 La retención por la Convención de la Invención 41

9 El Capitán Calzoncillos y el ataque de los retretes parlantes 45

10 Un gran error 53

11 La expulsión tras la retención por la Convención de la Invención 59

12 Las cosas se ponen peor 61

13 ¡Demasiado tarde! 67

14 Los retretes parlantes se hacen los amos .. 71

15 ¡El picadillo con besamel contraataca! 75

16   El Retre-Turbotrón 2000 83

17   Capítulo de la máxima violencia gráfica.
1.ª parte (en Fliporama®) 87

18   El boli morado de Berto 103

19   El increíble Robodesatascop 107

20   Capítulo de la máxima violencia gráfica.
2.ª parte (en Fliporama®) 109

21   Lo que pasó luego 123

22   Cómo resumir una larga historia 127

23   Después de lo que pasó luego 128

24   Directores por un día (o la cancelación de
la expulsión tras la retención por la Convención de la Invención) 129

Serie El Capitán Calzoncillos

1 *Las aventuras del Capitán Calzoncillos*
2 *El Capitán Calzoncillos y el ataque de los retretes parlantes*
3 *El Capitán Calzoncillos y la invasión de los pérfidos tiparracos del espacio*
4 *El Capitán Calzoncillos y el perverso plan del profesor Pipicaca*
5 *Superjuegos, pasatiempos y chascarrillos del Capitán Calzoncillos*
6 *El Capitán Calzoncillos y la furia de la Supermujer Macroelástica*
7 *El Capitán Calzoncillos y las aventuras de Superpañal*
8 *El Capitán Calzoncillos y la gran batalla del mocoso chico biónico I (La noche de los mocos vivientes)*
9 *El Capitán Calzoncillos y la gran batalla del mocoso chico biónico II (La venganza de los repugnantes mocorobots)*
10 *El Capitán Calzoncillos y la dramática aventura de los engendros del inodoro malva*